This book of bilingual stories and legends belongs to:

____

____

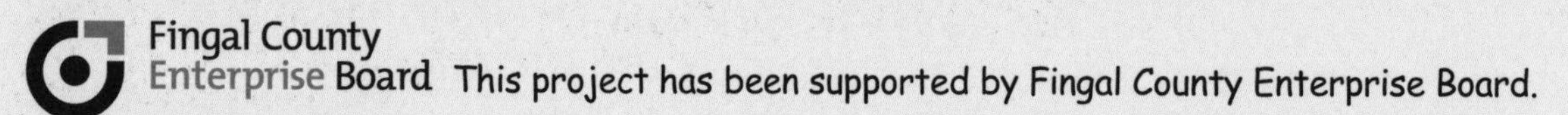

This project has been supported by Fingal County Enterprise Board.

The paper used in this book is made from wood pulp of managed forests. For every tree felled, at least one tree is planted, thereby renewing natural resources.

Illustrations by Ms. Deborah O'Keeffe, Killarney, Co. Kerry.
Translation Consultants : Ms. Sláine Ní Chathalláin/Prof Alan Titley
Design and Layout by Typeform.
CD Production by Wysdom Design, Clontarf, Dublin 3.

Printed in Ireland by Irish Folklore Publications 2012
Email : info@irishfolklorepublications.com

ISBN : 978-0-9573996-0-0

Saint Patrick's Story for Children

Scéal Phádraig Naofa do Pháistí

Feast Day : 17th March

Adaptation by
Gabrielle Bean Uí Dhomhnaill

Acknowledgements

To our much cherished Irish acting legend, Ms. Maureen O'Hara, who so generously gave her time to narrate St. Patrick's Story for Children in English on St. Valentines Day 2012 at Caseys Hotel, Glengarriff, West Cork.

To Ms. June Parker Beck, Archivist and Editor Maureen O'Hara's Online Magazine and Facebook Page, for her wonderful support for Irish Folklore Publications.

To our much respected scholar and novelist, Dr. Alan Titley, Professor Emiritus of Modern Irish, University College Cork for narrating this story in Irish at my parents home in Clontarf in the Spring of 2012. Alan recently wrote and presented Scéal na Gaeilge for TG4.

To the wonderful Dr. Sue Brown, Lecturer in Children's Literature, Trinity College Dublin for her inspirational support of my work.

To Brother Séamus Ó Nualláin, Head of Coláiste Mhuire, Griffith Avenue, Marino whose innate supportive influence during my four years in college, gave me the will and perseverence to succeed.

To my wise and wonderful parents, Gerry and Maureen Nolan and my siblings Brian, Geraldine, Declan, Gráinne, Karen, their nearest and dearest and all eighteen grandchildren for our wonderful strong family bond.
Not forgetting my husband, Kieran, for his patience, support and tolerance! And of course my three children, Shane, Cormac and Emms and our loyal retriever, Sheebah for being a constant supportive presence.

To the Mc Donald Clan, Dublin and the Ranch, Cahore.

To the bravest, Master Matthew McGrath and his wonderful inspirational family.

To the WOWS (Walk on Wednesdays bunch!!) for their support and hilarity in the coldface of mother/wifehood.

To Keith Broch and the whole team at Fingal County Enterprise Board for their support of this project.

To Professor Liam Mac Mathúna and his Department at Béaloideas, Dept of Irish Folklore, University College Dublin for allowing me permission to research their wonderful archive, a wonderful resource managed by an inspirational and supportive team. Wonderful resource run by a wonderful team.

To Mr. Conor Boyce, Patent Lawyer, FRKelly Partners, Clyde Road, Dublin for his expertise.

Saint Patrick's Story for Children/ Scéal Phádraig Naofa do Pháistí

For Mam and Dad

Fadó fadó, blianta fada, fada, ó shin, siar sa chúigiú haois, saolaíodh buachaillín ana speisialta do theaghlach deas so Bhreatain. Ar nós na mbuachaillí eile, ba é an caitheamh aimsire ba mhó a thaitin le Pádraig ná a bheith ag iascaireacht, ach níor thaitin aon ní níos mó leis ná du lag spaisteoireacht chomh fada le bruach na habhann áitiúla chun dul ag iascaireacht. Ar thráthnónta fuara geimhridh shuíodh teachlach Phádraig síos cois tinteáin agus d'insíodh a mháthair chríonna seanscéalta faoi sheanlaethanta. Chanadh an chlann agus a gcomharsana agus a gcairde cúpla amhrán agus léidís dánta.

Fadó fadó, many many years ago, way back in the fifth century, a very special baby boy was born to a loving family in Roman Britain. Like most young boys, Patrick's favourite pastime was fishing and there was nothing he enjoyed more than venturing off for a day's fishing on the banks of the local river. On cold winter evenings, Patrick's family sat by the fire and his grandmother told stories of bygone days. The clan and their neighbours and friends sang and recited poems.

Gan Pádraig ach sé bliana déag d'aois, d'athraigh gach aon ní dó, gan choinne, go deo. Bhí Pádraig agus a dheartháir ag siúl abhaile, gan aon ní ag cur isteach no amach orthu agus iad breá sásta leis an dosaen maircréal a rug said orthu nuair a thug said bád seoil ar ancaire i mbéal an chuain faoi ndeara. Tar éis dóibh féachaint ar na seolta daite, tháinig amhras ar Phádraig nuair a chonaic sé an rud a cheap sé ar foghlaithe mara iad ar bord. Gan mhoill, bhailigh said a dtrealamh iascaireachta agus bhailigh said leo abhaile ar cosa in airde agus na maircréil thar a nguaillí acu.

Díreach agus iad ag déanamh ar an gcasadh deireanach ar an seanchosán, tháinig triúr foghlaithe mara ón taobh thiar dóibh go ciúin agus d'fhuadaigh said Pádraig bocht. Throid sé go cróga ach níor fhéad sé éalú uathu. D'éalaigh deartháir Phádraig, áfach, agus rith sé chomh tapa agus a d'fhéad sé abhaile chun cabhair a lorg. Níor chuir na foghlaithe mara aon am amú. Thug said Pádraig síos go bun an chnoic ina dteannta agus isteach sa bhád seoil tiubh tapaidh. Cuireadh Pádraig faoi dheic chun nach bhfeicfeadh éinne é. Gan aon mhoill, rinne an bád seoil ar Éirinn.

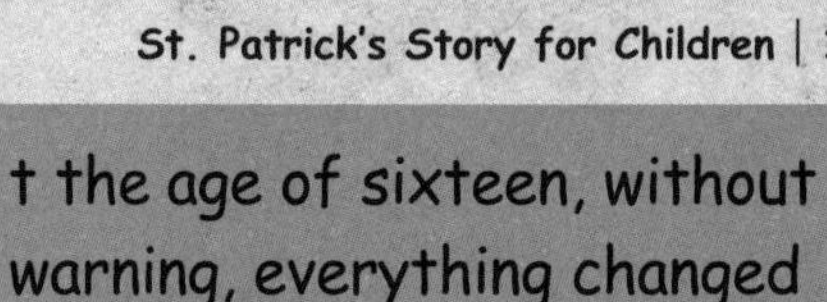

At the age of sixteen, without warning, everything changed for Patrick, forever.

Patrick and his brother were strolling home, without a care in the world, delighted with their catch of mackerel, when they noticed a sailing ship anchored in the harbour. After admiring its colourful sails, Patrick suddenly became alarmed when he saw, what looked like pirates on-board.

At once, they gathered up their fishing tackle and quickened their pace home.

Their catch danced behind them at the end of their rods as they ran and just as they approached the last bend on the old dirt road home, three pirates crept out from behind some buckthorn and kidnapped poor Patrick. He fought bravely but could not escape them. Patrick's brother escaped and ran like the wind home to get help. The pirates wasted no time. They whisked Patrick down the hill onto the sailing ship and Patrick was put below deck, out of sight. The ship set sail almost immediately.

D'imigh cúpla lá an-fhada thart sular fhág na foghlaithe mara an bád ar ancaire ar chósta thoir na hÉireann. Thug said Pádraig ar tír agus bhí eagla an domhain air mar nach raibh tuairim dá laghad aige cad a bhí beartaithe ag na foghlaithe mara dó féin ná do na gialla eile. Nuair a shroich said margadh, tharla an-chuid stangaireachta idir chaptaen an bháid fhoghlaithe mara agus na ríthe. Ar deireadh, díoladh Pádraig mar sclábhaí. Díoladh é le Miliucc, rí ó Chontae Aontroma, a chuir ar Shliabh Mís é chun obair mar aoire.

Several days passed before the pirates anchored on the east coast of Ireland. Patrick was led ashore and was feeling very scared as he didn't know what the pirates had in store for him. When they arrived at the market place, a lot of haggling took place between the captain and the chieftains. Eventually Patrick was sold as a slave to Miliucc, a chieftain from County Antrim, who put him to work as a shepherd on Slemish mountain.

Thug fir Miliucc go bun an tsléibhe é agus dúirt said leis go gcaithfeadh sé aire a thabhairt do thréad caorach Miliucc. Ní raibh braon le n-ól ná greim le n-ithe aige agus chaith sé déanamh dó féin. Sé'n chéad rud a rinne sé ná leath den sliabh a dhreapadh chomh fada le gleann a raibh fothain ann agus thóg sé botháinín ann chun é féin a chosaint ó na mic tíre agus na toirc fiáine a bhí sna coillte láimh leis. Dhreap Pádraig Sliabh Mis lá i ndiaidh lae, é ag comhaireamh agus ag beathú tréad Miliucc agus sa tóir ar chaoirigh a bhí imithe amú.

Is annamh a fuair sé béile te ach ba mhór aige é nuair a tháinig sclábhaí cistine chuige aníos agus thug cáis, bainne is bláthach dó. Nigh sé é féin gach lá i sruthán an tsléibhe agus thriail sé é féin a choimead sláintiúil trí chaora fiáine agus síolta ó na gleannta fothainiúla a ithe. Chuimhnigh sé ar na scileanna iascaireachta a bhí foghlamtha aige óna athair agus rug sé ar bhreac sa loch agus rinne sé iad a chócaireacht ar thine bhreá oscailte.

Bhí sé uaigneach agus é ina aonar agus chuimhnigh sé siar ar a theach sa bhaile agus ar na tráthnónta deasa a bhíodh aige ag paidreoireacht cois tine lena theanghlach sula ndeachnaigh sé a chodladh. Chuimhnigh sé ar na paidreacha sin agus dúirt sé paidir chuig Dia gach oiche chun é a shaoradh ón sclábhaíocht. Níorbh fhada gurbh é Dia an cara ab fhearr a bhí ag Pádraig.

He was left to fend for himself with very little to survive on. He climbed half way up the mountain to a sheltered glen where he made a hut to rest and shelter, to protect himself from the wolves and the wild boars that freely roamed the forests nearby. Each day Patrick climbed the slopes of Slemish Mountain counting and tending to Miliucc's flock and searching for lost sheep.

He rarely got a cooked meal but was grateful when a kitchen slave ventured up and brought him buttermilk, cheese and bread. He tried to keep healthy by eating wild berries and seeds from the lush sheltered valleys. He remembered the fishing skills he had learned from his father and fished for trout in the loch and cooked it on an open fire.

In his loneliness and isolation, he remembered back to his happy childhood home where, each evening his parents used to pray with the family by the fireside before going to bed. He remembered those prayers and each evening prayed to God to release him from slavery. God became Patrick's closest friend.

Oíche fhuar gheimhridh a bhí ann agus bhí sé bliana caite ag Pádraig mar sclábhaí. Luigh sé siar ar an leaba a rinne sé dó féin agus d'fhéach sé suas ar na réaltaí trí pholl sa díon a bhí déanta aige dó féin. Chaoch solas é a bhí le feiscint aige go hard sa spéir. Tháinig fís ós a chomhair amach agus labhair "Ní fada go slánófar ón sclábhaíocht, a Phádraig agus rachaidh tú abhaile go dtí do chlann". D'imigh an fhís as radharc ansin. D'imigh cúpla lá thart agus tháinig an fhís thar nais arís agus d'fhógair ar Phádraig, "Beidh ort cosán a leanúint go dtí an cósta thoir, áit a mbeidh bád seoil ar ancaire. Beidh ort léim ar bord. Seolfaidh sé chomh fada leis an mBreatain ag meánlae Dé hAoine".

Chuimil Pádraig a shúile chun a chinntiú nach ag taibhreamh a bhí sé. Chuirfeadh sé a chos ar an tine chun éalú ón gcruachás ina raibh sé agus ó Mhiliucc a rinne sclábhaí dó sé bliana ó shin. Chaith sé súil ar a thread don mbabhta deireanach. Shnámh sé i sruthán Shliabh Mís don mbabhta deireanach agus lean sé an cosán chun an oirthir.

On a cold night in late winter after six long years of slavery, Patrick laid down on his makeshift bed and glanced up at the stars through a hole in the roof. His eyes were blinded by a light in the starry sky. A vision appeared before him and spoke

"Patrick, you will soon be saved from slavery and will return home to your family." Then the vision faded behind the stars and disappeared. After a few days, the same vision returned and instructed Patrick, "You must follow a trail laid out before you to the east coast where a sailing ship will be anchored. You must board that ship. It sails for Roman Britain at noon on Friday."

Patrick rubbed his eyes to make sure he wasn't dreaming. He would have done anything to escape from that dreadful tyrant. Miliucc, who had enslaved him for six long years. He looked at his flock for the last time, he had his last swim in Slemish mountain stream and followed the trail eastward.

Shiúil sé trí ghleannta agus trí fhoraoisí, ar chnoic is trí aibhneacha gan bróg ná stoca air agus é gléasta i ngiobail. Ní raibh aon ní ag cur isteach ná amach air agus choimead solas na gréine deas te é. Tháinig ardú croí air nuair a chuimhnigh sé go raibh sé ag éalú ó Mhiliucc.

Buachaill an-chróga agus lán le scileanna maireachtála ab ea Pádraig anois, tar éis dó sé bliana fada a chaitheamh ag sclábhaíocht. Bhí suas le dhá chéad mile siúlta aige ó Shliabh Mis go dtí an cósta thoir.

Bhí sé i mbaol a bháis cúpla babhta i rith a aistir. Istoíche bhíodh glamanna na mac tíre chomh cóngarach san dó gurbh éigean dó ceithre thine bheaga a lasadh chun iad a choimead amach uaidh. An mhaidin dar gcionn, lean sé air. Bhí sé tugtha traochta agus bhí a bholg ar a dhroim le hocras. Chonaic sé deatach ag teacht ó shimléar teachaín agus bhí bean feirmeora ag gabháil do ghlasraí in aice leis. Bhí Pádraig ar tí titim as a sheasamh le hocras agus le tart agus chnag sé ar dhoras an teachaín. Bean chneasta ab ea bean an fheirmeora agus chuir sí fáilte roimhe isteach sa chistin. Ghlan sí a chuid gearrthacha agus chothaigh sí é agus lig sí dó néal codlata a dhéanamh sa bhothán. An mhaidin dar gcionn, thug sé faoin gcuid dheireanach dá thuras.

Barefoot and dressed in rags, he ventured through the hills and the valleys, forests and streams, carefree as the sunshine kept him warm. He was uplifted as he escaped the clutches of Miliucc.

In Patrick's six long years of slavery, he grew to be very brave and skilled at survival. He walked nearly two hundred miles to the east coast.

On his long journey, he had a few narrow escapes. At night the howling of the wolves got so close that he had to light four small fires to keep them away. The next morning, he ventured on. Exhausted and starving, he saw, through a clearing in the forest, smoke coming from a cottage chimney and a farmer's wife tending vegetables. Patrick was so hungry and thirsty and on the point of collapse that he approached and knocked on the cottage door. The farmer's wife was kind and welcomed him into her kitchen. She tended his wounds and gave him food and let him get some sleep in the barn. The following morning, he set off at dawn on the final leg of his journey.

Bhí níos mó fuinnimh ag Pádraig anois agus bhraith sé níos láidre de réir mar a shiúil sé. Níorbh fhada go bhfaca sé Muir Éireann uaidh, í ag glioscarnach sa ghrian. Nuair a tháinig Pádraig níos cóngaraí, chonaic sé go raibh bád seoil ann gan aon bhréag ná magadh agus é ar ancaire sa chuan mar a dúirt an fhís leis. Rith sé go bun an chnoic chomh fada leis an gcuan agus rinne sé a shlí go dtí an bád.

Bhí ruaille buaille timpeall agus mairnéalaigh ag lódáil an bháid. Chuaigh Pádraig i dtreo an bháid agus d'fhiafraigh sé an raibh cead aige dul ar bord, ach chuir captain an bháid an teitheadh air mar nach raibh pingin rua aige chun díol as an dturas.

Chas Pádraig timpeall agus é go mór faoi bhrón nuair a chuimhnigh sé ar a theaghlach. Thosnaigh sé ag paidreoireacht. Tar éis dó cúpla nóiméad a chaitheamh ag paidreoireacht, chuir duine éigin lámh ar a ghualainn. Dúirt duine de na máirnéalaigh leis go raibh athrú aigne tagtha ar an gcaptaen agus go bhféadfadh sé teach tar bord ach go gcaithfeadh sé an turas a thuilleamh. Bhí Pádraig i bhfeighil ar aire a thabhairt d'earraí tábhachtacha i rith an turais. Bhí cúnna faoil ag dul chomh fada leis an mBreatain. Gadhair chosanta iontacha ab ea na gadhair seo.

Patrick felt strong and uplifted as he walked and walked till he sighted the cliffs and the deep blue Irish sea beyond. As he got closer, he could see that there was indeed a sailing ship anchored as was foretold. He ran down the hill to the harbour and made his way to the ship.

There was a lot of hustle and bustle as sailors were loading and offloading cargo. Patrick approached cautiously and asked permission to come aboard but the captain of the ship shooed him away as he had no money to pay for his passage.

As he turned to walk away, deeply distressed, Patrick remembered his family and began to pray. After a few minutes praying, he was tapped on the shoulder. One of the sailors told him that the captain changed hid mind and that he could come aboard but would have to work to earn his passage. He saw two Irish wolfhounds bound for a new life in Roman Britain. These dogs were known to be wonderful guard dogs.

D'fhéach Pádraig amach ar an bhfarraige trí fhuinneoigín beag agus bhí sí ag glioscarnach agus ghabh sé buíochas le Dia as é a shaoradh ón sclábhaíocht. Labhair sé leis na máirnéalaigh faoina éalú. Ba dheacair dóibh a chreidiúint go bhféadfadh a leithéid tárlú do gharsún nach raibh ach sé bliana d'éag d'aois.

D'imigh an t-am thart go tapa mar go raibh a fhios ag Pádraig go raibh sé ag dul abhaile. Le teacht an lae chuala sé an captaen "Ar talamh linn", a ghlaoigh sé. Chuimil Pádraig a shúile. Is ansin a chonaic sé a thír dhúchais ós a chomhair amach. Amach uathu, chonaic siad cathair a raibh íonsaí déanta uirthi agus a bhí mar a bheadh fothrach. Níorbh fhéidir leo é a chreidiúint. Bhí an criú traochta, cantalach, agus bhí ocras agus tart orthu tar éis dóibh rith amach as bia agus deoch. Thuirling siad den bhád. Is ar éigean a bhí siad ábalta siúl tríd an smionagar agus iad ar thóir tí ósta nó seastán bia ach ní raibh aon cheann acu ar fáil. Chuir siad ceist ar Phádraig ansin. "An féidir le do Dhia cabhrú linn anois?"

Patrick looked out through a porthole at the glistening blue sea and thanked God for saving him from slavery. He spoke to the sailors about his miraculous escape and they found it difficult to believe that such a terrible thing could happen to a young sixteen year old lad.

Time passed quickly onboard as Patrick knew he was going home. At daybreak he heard the captain call "Land ahoy" and Patrick squinted and rubbed his eyes. He then caught sight of his homeland ahead. They couldn't believe their eyes as they witnessed a city that had been attached and plundered. The crew, grumpy from hunger and thirst as their supplies were long gone, disembarked, exhausted from their long journey. They stumbled through the debris as they searched round every street corner for an inn or a market stall but could find neither food nor shelter. Then they asked Patrick "Can your Glod help us now?"

Dúirt Pádraig leo creidiúint sa mhaitheas a dhéanann Dia agus go mbeadh toradh ar sin. Thosaigh Pádraig agus an criú ag paidreoireacht agus go tobann chas feirmeoir cúinne na sráide agus arán, bainne agus uibheacha aige dóibh. Bhí iontas an domhain ar na mairnéalaigh agus tar éis dóibh béile breá a ithe, ghabh siad buíochas leis an bhfeirmeoir.

Tar éis dóibh ithe, d'fhag Pádraig slán ag an gcomhluadar agus ghabh sé buíochas leis an gcaptaen agus leis an gcriú agus ghabh sé an bother soir, ag dul ó mhainistir go mainistir ag paidreoireacht in éineacht leis na manaigh agus ag cabhrú leo ar a bhfeirm. Bhuail a thuismitheoirí leis nuair a shroich sé an baile agus bhéic a dheartháireacha agus a dheirfiúracha, "Míorúilt is ea é, tá Pádraig tagtha abhaile". Míorúilt a bhí ann, cinnte, go raibh Pádraig tagtha abhaile tar éis an méid seo ama. Chreid siad nach bhfeicfidís go deo na ndeor é.

Ba cheiliúradh mór an chéad chúpla lá eile i dteacháin Phádraig. Bheannaigh na hoibrithe a bhí ar fheirm a athar dó, ag rá, "A Phádraig, tá tú tar éis filleadh orainn. Buíochas le Dia."

Patrick told them to believe in the goodness of God and they would be cared for. Both the crew and Patrick began to pray when out of nowhere, a farmer appeared around a street corner with buttermilk, cheese and bread. The sailors, amazed, thanked the farmer and had a hearty feed.

After eating their fill, Patrick parted company with the captain and crew and journeyed east, moving from monastery to monastery, praying with the monks and helping them on their farms. Then he made that special journey home.

He was met by his parents, brothers and sisters who were so overjoyed, they cried "It's a miracle. Patrick has come home." They had believed that they would never see him again.

For days there were great celebrations in Patrick's home. Workers on his father's farm greeted him. "Patrick you have been returned to us, thank God."

D'imigh cúpla seachtain thart. Bhí Pádraig ar mhuin na muice a bheith thar nais sa bhaile arís lena mhuintir féin. Tháinig fís eile chuige agus é luite ar a leaba oíche. Tugadh litir dó, agus scríofa air bhí "Glaoch Phádraig." Thosaigh Pádraig ag léamh na litreach agus chuala sé guth a d'aithin sé ón am a bhí imithe ag rá, "Glaoimid ort, a Phádraig, chun siúl inár measc, agus a mhúineadh dúinn faoi Dhia agus faoin bpaidreoireacht." Bhí a fhios ag Pádraig anois gurb é an dualgas a bheadh air an chuid eile dá shaol ná soiscéal Dé a leathadh.

Agus Pádraig agus a thuismitheoirí ag ithe bricfeasta an mhaidin ina dhiaidh, mhínigh sé dóibh cad a bhí le déanamh aige. D'fhág sé slán acu agus bhí an bheirt acu lag le huaigneas. Bhí siad croíbhriste go raibh Pádraig ag imeacht don dara babhta. Ghlac a thuismitheoirí lena chinneadh, áfach, agus d'fhág siad slán le Pádraig. D'imigh Pádraig chun sagartóireacht a dhéanamh i nGallros. Níor thóg sé rófhada air cáiliú mar shagart, agus toisc go raibh an oiread sin ceana aige ar dhaoine, oirníodh mar Easpag misinéara é.

Weeks passed. Then another vision came to him as he lay in his bed. He was given a letter entitled "Patrick's Calling". As Patrick read the letter, he heard a familiar voice from the past calling. "We beseech you, Patrick, to walk among us and teach us about Christ and about prayer." Patrick knew now that for the rest of his life, his mission was to spread the word of God.

Next morning at breakfast, Patrick told his parents what he had to do. He bade them farewell as they clung to each other, heartbroken that they were losing their Patrick for a second time. His parents reluctantly accepted his decision and waved goodbye as Patrick left them to go and study to be a priest in Gaul.

Not long after he had been ordained a priest, seeing his great love for people, Patrick was then ordained a missionary bishop.

D'fhill Pádraig agus grúpa manach ar Éirinn sa bhliain 452 chun focal Dé a leathadh. Mhaith sé do Mhiliucc an méid a rinne sé leis.

Bhí a fhios ag Pádraig go mbeadh sé deacair grá Dé a thabhairt go hÉirinn mar ba dhaoine trodacha iad na ríthe a bhí i gceannas agus bhí eagla a mbáis ar na daoine a raibh cabhair Phádraig ag teastáil uathu.

In the year 452 Patrick returned to Ireland along with a group of monks to spread the word of God. He forgave Miliucc, the tyrant, who in enslaving him, made it very important for Patrick to return to Ireland and spread God's love.

Patrick knew that it was going to be difficult to bring the love of God to Ireland as the chieftains ruled with their fists and the people who needed Patrick's teaching lived in fear for their lives.

Chuimhnigh Pádraig ar na paidreacha a deireadh sé agus é faoi bhrón ar Shliabh Mis agus scríobh sé síos ar a lúireach iad.

"Deimhním ionam féin inniu,
Ainm buan na Tríonóide
Trí ghairm Dé,
Triúr in Aon is Aon i dTriúr"

"Críost liom,
Críost romham,
Críost i mo dhiaidh,
Críost istigh ionam,
Críost fúm,
Críost ós mo chionn,
Críost ar mo lámh dheas,
Críost ar mo lámh chlé,
Críost i mo luí dom,
Críost i mo sheasamh dom,
Críost i gcroí gach duine atá ag cuimhneamh orm,
Críost i mbéal gach duine a labhraíonn liom,
Críost i ngach súil a fhéachann orm,
Críost i ngach cluas a éisteann liom."

Paganism was everywhere. Patrick remembered back on the prayers he recited during his time of loneliness and isolation and wrote them down on his breastplate.

"I bind onto myself today
The strong name of the Trinity.
By invocations of the same,
The Three in One and One in
Three."

"Christ be with me
Christ be before me
Christ be behind me
Christ be within me
Christ be beside me
Christ be above me
Christ be below me
Christ to win me
Christ to comfort and restore
Me
Christ in quiet
Christ in danger
Christ in the hearts of all who
love me
Christ in mouths of friends
And strangers."

Nuair a bhí Pádraig ag déanamh cur síos ar an triúr atá i nDia, phioc sé seamróg ón ithir. Leag sé amach é agus thaispeáin sé go raibh an trí dhuilleog atá ceangailte le gas amháin mar atá triúr in aon Dia amháin.

Ag druidim I dtreo na Cásca a bhí sé agus las Pádraig tine ar Mhullach Bhaile Shláine. Bhí a sholas le feiceáil ó chian is ó chóngar. Thosaigh Pádraig ag seanmóireacht "Ní mhúchfar lasair na Críostaíochta choíche." Bhí an ghoimh ar an rí áitiúil, Laoire le Pádraig agus tar éis dó comhairle a fháil óna chuid draoithe, chuir sé a arm amach ar chapaill chun breith ar Phádraig.

Dhúisigh Pádraig nuair a chuala sé an gleo a bhí ag crúba na gcéadta capall agus ghuigh sé ar Dhia iad a shábháil. Sábhálach é. De réir mar a bhí na saighdiúrí ag déanamh air, thárla sciorradh talon Agus isteach leo sa phortach go deo na ndeor.

When Patrick explained About the three Persons in one God, he picked a shamrock from the soil, held it aloft and demonstrated that the three leaves joined to one stem depict the three persons in one God.

As Easter beckoned Patrick lit the Pascal fire on the Hill of Slane. Its light illuminated the countryside for many miles and Patrick preached "This flame of christianity will never go out." A local chieftain, Laoire, was furious with Patrick and sent troops of soldiers on horseback to capture him.

Patrick awoke when he heard hundreds of horses' hooves and prayed to God to save them. Patrick was saved. As the soldiers approached, there was a landslide and the horses disappeared never to be seen again.

Aon ghrianstad Samhraidh amháin ag deireadh mí Iúil, dhreap Pádraig go barr Chruach Phádraig. Nuair a shroich sé an bhinn, chonaic sé An tAigéan Altantach fiáin siar uaidh, aillte garbha Oileáin Acla ó thuaidh uaidh agus bruacha caonacha, torthúla abhainn na Sionainne soir uaidh. D'fhan sé ar troscadh ann ar feadh daichead lá agus daichead oíche. Lean taibhse é ach chaith sé clog airgid leis agus theith an taibhse. Chuir sé an ruaig ar na nathracha nimhe ó Éirinn, leis, agus ní fheicfí go brách arís iad.

Scaip agus neartaigh an Chríostaíocht ar fud na hEorpa. D'iompaigh a lán de lucht leanta Phádraig ina misinéirí agus ina scoláirí. Scaip siad focal Dé ar fud na cruinne. Cuireadh aithne ar Éirinn mar Oileán na Naomh is na nOllamh toisc an méid a mhúin Pádraig.

Cailleadh Naomh Pádraig sa bhliain 461 i Sabhall, I nDún Phádraig, Contae an Dúin. Nuair a síneadh amach ar chlár é, ní raibh aon ghá le coinnle mar d'fhan sé geal ar feadh cúpla oíche ina dhiaidh sin.
An Deireadh